새벽이슬

새벽이슬

발 행 | 2023년 11월 11일
저 자 | 김경옥
펴낸이 | 한건희
펴낸곳 | 주식회사 부크크
출판사등록 | 2014.07.15.(제2014-16호)
주 소 | 서울특별시 금천구 가산디지털1로 119 SK트윈타워 A동 305호
전 화 | 1670-8316
이메일 | info@bookk.co.kr

ISBN | 979-11-410-5021-4

www.bookk.co.kr

새벽이슬

김경옥 시집

작가소개

서울출생

명지전문대 문예창작과 졸업

마포신문여성백일장특별상 입상

이준백일장 입상

월간순수문학 등단

한국전국시낭송대회 입상

문학의집서울시낭송경연대회 입상

한국전국시낭송경연대회 입상

한국시치유협회 회원

국민연금대학 작가탄생1기 수료.

시인의 말

모든 곡식은 수많은 비바람을 견디어온
농부의 땀방울이 흙과 만나고
햇빛과 손을 잡을 때에 비로소 여물어 간다
나의 시의 언어도 자연과 인간이 부대끼며
살아가는 세미한 음성에 귀 기울이며
조금씩 성숙해 가기를 소망해 본다.

2023년 가을

차례

3부

제1부

개와 그녀

눈동자가 유난히 맑은 너는
머리통보다 더 큰 가발위에
리본을 달고서 세월의 아픔을 데리고 간다

파란 청바지와 모시옷의 엇박자
메고 있는 가방끈에 기워진 천 조각
사랑이란 이름으로 목줄에 매달린 애완견

퀭한 눈동자위로 내뱉듯 스쳐가는 시간들
굳은 살 박힌 발뒤꿈치가 소리치며 운다

울부짖는 소리
땅에 박고 돌아 서면
다시 앞에 와 있다.

노란 파프리카

냉장고에 넣어 둔지 사흘째
향긋한 내음과 아삭함이 그리워
허리춤에 손을 댄 순간
까맣게 탄 일원짜리 동전만한 흉터

과도로 도려내려 했지만 여간 깊지가 않다
다시 반으로 허리춤을 가르자 눈에 들어온
아주 작은 아기 파프리카

여기에 이렇게 숨겨져 잉태하려
네 살이 까맣게 타버렸구나.

사라진 기억들

사년을 문밖에도 나가지 않던 어머니
내일은 큰 아들 집으로 들어가야겠다고
주섬주섬 보따리를 싸신다
이제 곧 겨울이 돌아온다고 빨간색 털모자도 싸고
여름이 돌아오면 얼굴이 탄다고 노란색 챙 모자도 싸신다
어렴풋이 기억이 날 때마다 들여다보시며 가슴으로 불렀던
빛바랜 사남매의 흑백 사진도 싸면서

한잔 술에 잠을 청한 큰아들 자는 모습
한참을 바라보던 어머니 슬며시 일어나 콩나물죽을 쑤어
한상 차려 큰아들 먹으라고 깨우니
잠결에 멍하니 어머니 얼굴 바라보다
시린 등 돌려세워
소리 없이 흐르는 빗물만 손등으로 꾹꾹 찍어낸다.

비닐하우스

구름은 무슨 슬픈 일 그리 많아서
어떤 별이 서럽게 죽어나가서
저리도 눈물마저 단단해져서
하얀 비닐하우스 위에
우박으로 내리는가

지난해에 뚫린 구멍
아직도 하늘이 보이는데
나는 퍽퍽 뚫리는 비닐하우스 안에서
온몸이 아프도록 우박을 껴안고
온몸에 숭숭 구멍이 나도록
구름과 별의 사연 듣기로 했다
행여 우리엄마 눈물 일까봐.

은행나무

노랗게 여물어가는 내 몸속에는
아무도 손 댈 수 없는 비밀이 있다

천년을 넘기고도 여전히 위엄이 당당한 나는
기나긴 역사만큼이나 다른 나무가 갖지 못하는
태고의 신비를

자궁 안에 고스란히 간직한 채
영롱한 빛을 뿜는다

내 머리와 꼬리는 바람에 실려 온 그녀의 향기를
도저히 물리칠 용기가 나지 않는다
나는 동물의 정충처럼 그에게로 날아가 신방을 꾸몄다

나는 고생대부터 빙하기를 거친 끈질긴 생명줄로

중국 양쯔강 하류에 몸을 풀고
정겨운 시골 노부부의 밥상이 되기도 하고

산자락 한 귀퉁이 둘러앉은
남정네들의 거친 손길도 느끼며
잉태하지 못해 한 맺힌 여인네의
가슴속 불상이 되기도 하지.

노년의 시간

지나온 삶의 풀밭에는
하얀 서리가 내렸다
깊게 주름진 계곡 사이로 그리움은 흐르고
부서지고 닳아져 만들어진 삼각주
힘없는 웃음 속에 드러난 두 개의 하얀 기둥이
내리치는 물살에 흔들린다

보듬고 달려온 시간들은
발자국마다 문양을 찍고
혈육은 그 위로 조그만 발자국을 포갠다

휘휘 내젓는 두 팔엔 안타까움이
후회의 언덕을 넘나들고
아직은 아니라며 안간힘을 쏟는
끈질긴 생명 앞에 순종 하듯이
문양의 그림자만 열심히 살피는.

임플란트

어두운 터널 속
가지런히 박혀 있는 몇 개의 톱니를 지나
텅 빈 공간에 기둥을 세우던 날
무감각 상태의 거대한 괴성은
가늠 수 없는 긴장의 흔들림이다

예민하게 응시했던 불면의 나날들
깊은 어둠은 세로로 길을 내며 들어가고
물컹한 살들과 협의한 끝에
조용히 방 한 칸 내어주기로

머지않아 세워질 기둥들과
할부금 낼 일을 걱정하며
부식되어져가는 몸을
관리소홀로 고발한다.

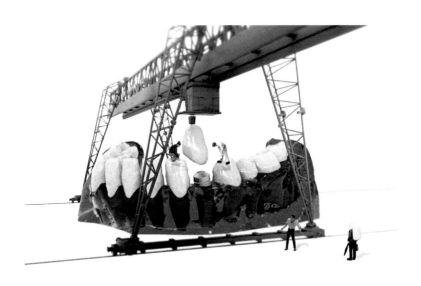

산천어

일상을 입 품팔이로 하루를 보냈던
아낙네들의 빨래터 강원도 화천 저수지
언제부턴가
겨울을 즐기려는 사람들
둥그렇게 원을 그리며 모여든다

두꺼운 얼음위로 조심스런 쇠망치질
물길을 가르면 하늘 길을 뚫고 온
햇빛이 그 위에 들어와 앉는다

불의와 허구는 저만치 세워놓고
살결의 슬픈 무늬를 드러낸 산천어
일급수의 청량함만 사모하는 굳은 절개위로
따가운 시선들 쏟아진다.

시린 발 동동 구르며 낚시 바늘을 내리면

동공도 덩달아 바늘에 꽂혀

하얀 서러움이 뜨겁게 밀려온다.

노숙자의 봄

살얼음 밑으로 흐르는 냇물은
잿빛 하늘을 데리고 흐른다
가늘게 들리는 물소리

자장가 삼아 잠든 노숙자
까맣게 물들여진 새끼발가락
꼼지락거리며 웅크린 몸 풀고 있다

곡예 하듯 손 흔들며 피어나는 꽃망울
스러져가는 담 밑에서 툭툭
그의 봄을 건드리고 있다

짓궂은 바람은 헐거운 옷깃을 헤집고
머리맡에 스러진 빈 소주병
토막토막 잘려나간 삶의 모서리

시리도록 서러운 울음을 토해내고 있다.

자운봉 목련

설핏 기운 해
서둘러 돌아가는 등 뒤로
자운봉 산사에 불이 켜지고
속세를 등진 동자승의 하루가 붉게 물든다

미련 남은 목쉰 바람이
길섶 목련과 눈을 맞추고

꾹꾹 눌러 가슴에 빗장을 건
애끓는 어미의 젖가슴
땅속에서도 물속에서도 피가 돌아
환한 웃음으로 피워낸 목련

하얀 속살을 열고
달빛서린 길섶에 누렇게 떨어지면
어두운 침묵만이 산사를 깨운다.

대나무

땅속 깊은 곳에서 빗소리 바람소리 들린다
쓰러질 수 없는 억척을 부여잡고
긴 세월의 뿌리만 내릴 뿐
결코 싹을 틔우지 않는 오랜 기다림은
무서운 속도로 질주하기 위한 숲속에서의 경쟁
인내와 아픔과 고통은 대나무의 성장 판이다
힘들게 견디며 자라나는 저 소리
언제나 꼿꼿하게 등을 세우고
푸른 하늘의 뜨거운 태양을 향하여
마디마디 뻗어나가는 가지
땅속 깊은 곳 튼튼한 세월을 묻고
마음을 비우며 키를 키운다
한없는 사랑으로 모든 것 내려놓는
비우고 또 비우면서 목표를 향해 질주하는
눈부신 내공.

소나무

안개 속 희미한 모습으로
도봉산 자운봉이 눈앞에 서있다

밧줄타고 오른 절경 속
벼랑 끝에 서있는 한 그루의 소나무
겨울의 혹한을 몸으로 싸워
옆으로 갸우뚱 허리가 휘었다

한쪽 끝이 패인 새끼발가락
문신으로 새겨진 발자국들
가슴으로 담으면서
더욱 푸른 기운으로 용을 쓰고 있다

골짜기마다 꿈틀 거리는
도봉산의 혈기를 온 몸으로 싸안고
서툴게만 살아온 길 돌아보게 한다.

기도

법당 안에서 들려오는 염불소리에
가던 발걸음 멈추고 옷깃을 여민다
초 한 자루에 불을 지피고 두 손을 합장하니
목젖이 조여들고 아프다
서운한 맘
다시는 안볼 듯이 등 돌린 세월
사십년의 세월이 빠르게 달려와
굽은 허리 돌려 세운다
너는
온종일 까만 걸레질로
아무리 닦아도 맑아지지 않는
뿌연 삶을 지우고 또 지우고
빨강, 노랑, 파랑색의 촛불 하모니만
깊이 패인 주름살과 합장을 한다
나는
염불 소리에 가던 길 멈추고
굽은 허리 몇 번이고 곧추 세우며
세월의 뒤안길 서성이고 있다.

제 2부

지하철 안에서 1

차창 밖

건물들을 밀어내며

헛바닥을 빼물고

달리는 전철을

어스름이 함께

따라오고 있다.

지하철 안에서 2

사람들에게 밀려

전철 안으로

떠밀려 들어간다

거친 숨소리와

짜증 섞인 목소리

불협화음을 이룬다.

지하철 안에서 3

버거운 삶의 무게가

감기는 눈꺼풀을 지나

야윈 어깨를 누를 때

움켜진 하루의 그늘이

내리우고 그 속에서

나는 도자기를 굽는다.

지하철 안에서 4

물레 성형을 하고

시문을 거쳐

높은 온도와 긴 시간의 여행

아가리는 좁고 배가 불룩한

나만의 공간이다.

지하철 안에서 5

멀미하는 하루를

그 속에 가둬놓고

구멍 숭숭 뚫린

시린 가슴도 담아 놓는다

비어진 손금 사이로

바다가 출렁인다.

가을 들녘 1

숨 가쁘게 움직이는
도심을 벗어난 들녘
하얀 낮 달빛이 차다

지난 태풍 때
쓰러진 볏 더미
아직도 일어서지 못한 채
엉거주춤 서 있고
농약 통을 등에 진
농부의 힘겨운 손놀림

서리가 오기 전에
찾아와 돕겠다던
막내 생각에
마을 어귀 감나무만
뚫어지게 바라본다.

가을들녘 2

하얀 두건위에 앉은
빨간 고추잠자리

모시 같은 날개로
자세를 고르며 졸고 있다

목청껏 소리치며
젖을 찾는 송아지를 외면한 채

방역상 안으로
들어가는 어미 소

내 살 끝이 시려오는 가을들녘에 서면
먹먹한 가슴속 홀로 여울져 온다.

할머니의 칼국수

사과 빛 어리는 햇살 속
추억이 흔들리고 있다

종일을 뙤약볕에
새까맣게 타버린
어머니의 허기
긴 호흡으로 기억을 더듬는다

여름 장마에
논밭을 모두 잃고

가난이 서러워서
이승에서 서성일 때
할머니는 밀가루로
딸의 허기를 채우고자

홍두께로 밀고밀고 또 밀면서
세월의 서러움을 노래하셨다

앙상하고 주름진 손
얼리고 달래어진 반죽은
가닥가닥 사랑으로 걸어 나왔다

마주앉아 후루룩 후루룩
눈물로 삶을 짜 올려

그렇게 하루를 만들었던 추억이
어머니의 서러운
노을빛 사랑 속에 잠들어 있다.

새벽 1

첫 새벽
어둠을 뚫고
이슬에 젖은 거리를
그는 달린다

끈질기게 싸워야하는 시간과의 사투
터질 듯이 용솟음치는 붉은 선혈이
유리알처럼 투영되어
피부 깊은 곳에 자리를 내어주고
혈관을 타고 솟구치는 삶의 욕망은
날카로운 비수되어 꽂힌다

수은등 밑으로 보이는 뽀얀 안개 속 길
수직으로 깔린 시간의 벼랑으로 들어와
헤드라이트에 비치는 끈적이게 따라붙는 삶의 행로
낙엽처럼 뒹굴다간 세월만큼 서럽다.

새벽 2

재빠르게 지나가는 길고양이의 괴성
거리의 자판기 속으로 떨어지는 동전소리
블랙커피의 진한 향기 속으로 뛰어들고

어젯밤 생선장사 할머니의 헛손질에
튕겨나간 생선대가리
하수구에 끼여 통증을 호소하고 있다

아직은 잠에서 덜 깬
숲속의 공기가 잠꼬대를 할 때
엉거주춤 내려놓고 싶은 삶의 무게 끌어안고

새벽을 달리는 사내는
더욱 좁아진 어깨가 갈바람에 휘청거린다.

이사

어스름 저녁
가을이 몸살을 한다

도봉산 입구에 나란히 서서
계절을 말해주던 은행나무들

새 물결에 밀려
주소 없는 곳으로 이사를 했다

새 이름표를 단 가로수
낯 설기만한 거리의 풍경들

이맘때면 늘 겪는 일인데도
먹먹한 기억을 외면한 채

빈자리 어디쯤에 머물 수 있을까.

송사리

새로 이사 온
실개천 붉은 가로등은

아치형 다리 밑에서
은빛으로 비틀 댄다

듬성듬성 놓인 돌다리 사이
송사리 떼 달빛 속에서
숨바꼭질 하고

시간이 머물고 간 자리
다시 또 추억이 그리움을
붙잡고 있다

서럽도록 시린 이 가을에.

혼자 가는 길

또 오겠습니다
손가락 걸고 약속 했는데

시간이 급했나요
님께서 빨리 오라고
재촉 하던가요

그 먼 길을 한마디
인사 나눌 시간도 안주고
그렇게 급하게 가셔야만 했나요

당신이 주신 옥빛 목걸이는 이렇게
빛을 내고 있는데

난 아직
그대 주름진 손 놓지 못하고 있는데.

제3부

자반고등어

하얀 가루가 머리위에서 솔솔 뿌려지면
겉옷이 꾸덕꾸덕 마르기 시작하고

그러면서 배와 가슴이 단단해지는 것을
그는 기쁘게 받아들였다

하얀 소금으로 단장을 하고
살포시 미소 짓는 그녀의 눈을 바라보며

그녀의 옆에 나란히 누웠다
그러면서 그는

귓속말로 또렷이 말했으리라
우리의 진짜 운명은 여기서 부터라고.

그리움

도봉산 물 길 따라 오르다 보면
어느 샌가 그리움이 앞서 오르고
걸음은 은석암 앞에 멈추어 서네

카랑카랑한 어머니의 음성
메아리 쳐 오고
꽃자리 펴놓고 두런두런
이야기보따리를 풀던

어머니가
눈앞에 서 계시네
먼 길 돌아돌아 암석되어 오셨네

녹야원 소나무는 여전히 푸른데.

그시절 그때

엿장수 가위소리
동네 어귀를 돌면

조막만한 아이들
숨겨놓은 까만 고무신짝
손에 들고 나온다

구루무 장수
예뻐진다는 소리로
우리엄마 유혹하고

흑백사진사 아저씨가 풀어놓은
멋진 풍경화 앞에
동네 처녀들 우르르
삼삼오오 몰려 들 때.

하굣길

세상 모든 저물녘은 엄마와 헤어진 시절

어릴 적 친구들과 무궁화 꽃이 피었습니다
술래잡기 할 때도

마당 따먹기 놀이하다
따 먹은 땅 모두 두고
집으로 가야 할 때도

친구들과 수건돌리기하며
내가 계속 술래로 서러울 때도

공기놀이 하다 무두 잃고 돌아설 때도
엄마는 어디에도 없었네.

그녀의 에스프레소

곱게곱게 단장을 하고
새벽미사 드리러 간다
아직 졸고 있는
가로등과 인사도하고
쏜살같이 내달리는
자전거탄 소년을 보고도
조심해서 천천히 가라고 말을 건넨다
집에 오면
옆집 1410호도 부르고
아랫집 1309호도 부르고
커피 주문을 받는다
오늘 하루 새날이 축복이라며
숨 쉬게 해주심이 축복이라며
찻잔을 들고 감사기도 드리면
그녀의 유년이 살포시 찻잔에 내려와 앉는다
라떼가 아닌 에스프레소로.

거짓말

조심조심 둘레길을 걸어가는 할머니
실버카 위에는 어젯밤 손녀가 사다드린
빨간 운동화가 얹혀있다

새끼발가락을 잔뜩 움츠리며
맨발로 걸으시는 할머니

느티나무 밑을 지날 때
나무는 할머니가 안쓰러워 나뭇잎 한 장을
떨어뜨려 할머니 발길을 멈춰 세웠다

"응 아까워서가 아니고 아프지 않고 살려면
맨발로 걸어야 혈액순환이 잘돼서 안 아프데
그런데, 맨발로 걸으면서 안 아프다는 말
그거 거짓말이야."

당신의 가을

우리 집 버럭 덩이 가을이 왔다
생각은 깊어지고 입은 닫혔다
푸르던 나뭇잎에 햇빛사랑 찾아와
수줍은 얼굴이 붉어졌다

중랑천 넓은 자리
흑두루미에게 내어주고
오리 일곱 식구가 바위 옆
좁은 길로 이사하던 날

우리 집 버럭 덩이 가을꽃
입을 열었다
화려하지 않아서 좋다며
작아서 더 예쁘다며 막내오리에게
말을 걸면 두 날갯짓으로
나도 그렇다고 고개를 숙였다가
쳐다보는 입속에 송사리 한 마리.

들국화

풀숲에 누워
조용히 몸을 흔들어

알 수 없는 향기의 무게로
가슴을 파고들면
가을이 왔다는 걸 나는 알지

너의 흔적을 쫓아 둔덕을 오르고
네가 향기인지 향기가 너인지
가을 속을 헤매다 왔었지

만약 들국화 네가 없다면
이 가을을 가을이라
말할 수 있을까 몰라.

산 아래 벤치에 앉아서

긴 벤치에 야윈 몸을 앉히고
한참을 독백으로 앉아있던 노인
머리위엔 세월의 흔적이 무겁다
낡아서 헤어진 운동화에 유년의 시간들이 멈추고
헤어진 운동화만큼 이나 구멍도 많았던 삶
어디 운동화뿐이랴 전구를 대고 조각조각
호롱불 밑에서 기워 신던 양말들이 뒹굴고 있다

브랜드등산복이며 등산화로 온몸을 감싸고
산을 오르는 청춘들을 바라보며
아픈 살점 한 톨씩 밀어 낸다
결코 쉽지 않은 세월 잘 살아왔다고
살기 좋아진 세상 이제는 괜찮다고
허공을 향해 넋두리만 음표처럼 쏟아내는 할아버지
차가운 벤치위에 시린 추억 한 아름 놓고 간다.

작은 민들레

언제부터 머물렀을까
시멘트가 벌어진 좁은 틈 사이에서
유난히 작은 민들레가 웃고 있다

흙인지 먼진지 구분도 안가는
터 잡고 살아가기엔 숨 막히는 좁은 공간
왜 너는 이곳에다 터를 잡고 뿌리를 내렸을까

바람 손 꼭 붙들고 가다가
공기 좋고 흙 좋은 곳에서
놓아 달라 부탁 하지 그랬어

금방이라도 하얀 눈물 쏟을 것 같아
가던 길을 자꾸자꾸
뒤 돌아본다.

도토리

비바람에 떨어져

나뒹구는 도토리

가을 내내 그리움으로

가슴앓이 했다

방금 다람쥐가 다녀 갔나보다

두 입술엔 가시가 돋아

오늘도 화를 삭이고 있다.

제4부

나뭇잎수다

산길을 걷다보면
발길 사이사이로 작은 나뭇잎이
혼자만 알고 있는
커다란 사연 하나씩 꺼내놓는다

바람과 햇빛이 사랑했던 이야기
별빛과 달빛이 다투었다 화해한 이야기
이슬이 햇빛을 안고 또르르 구른 이야기

나는 바빠서 대충 듣고 말았지만
이 큰 비밀을 안고 있는 나뭇잎은
두근대는 연둣빛 심장을 움켜잡고
내일 또 오라고
손짓을 한다.

단풍

푸르던 청춘을 불살라

네가 된 줄을 난 왜 몰랐을까

당당하게 드러낸 너의 가슴은 온통 피멍이고

아픔이 뒤엉켜 차곡차곡 거리에 쌓이면

몸은 후끈후끈 열꽃을 피워내고

이별을 예감한 축제는 무대의 조명을 밝힌다.

들꽃

이름을 꼭꼭 숨겨두고

스스로 위로하며 피어낸 영광

부대끼며 흔들리는 몸짓으로

눈물 밀어내며 몸살 앓는 내게

너는 예쁜 시의 언어로 다가온다.

꿈에라도

불빛은 서서히 잠을 청하고
어둠은 상처 난 하루를 차분히 누인다

유년의 기억이 웅성거리고
무서움에 동동 발만 굴릴 뿐

앞으로 나아가지 않는
치열한 경주는 시작되고

한없는 나락으로 내동댕이쳐질 때
야윈 팔을 흔들며 어둠을 깨운다

가슴 쓸어내리는 오싹한 꿈이지만
오늘밤 꿈엔 벙긋이 웃으시는
엄마를 만나고 싶다.

두 바퀴

두 개의 동그라미

힘차게 페달을 밟는다

굴곡진 시간속의 삶

묵묵히 인내하는 두 마음

훈훈하게 지켜보며 위로했을

결코 끊을 수 없는,

사랑 할 수밖에 없는

유일한 존재.

그늘

나무는 잎을 무성하게 매 달고
그늘을 내리고 있었다

오가는 사람들은 그늘에 쉬었다 가고
새들도 피곤한 몸을 그늘에 누인다

저녁이면 나무는 그늘을 접었지만
나무는 그 자리에서 그늘을 안고 서 있는 것이다

접었다가 펼쳤다가 보였다 사라졌다
반복 되는 그늘

나는 내게 드리운 그늘의 시간들을
얼마나 만들며 살아왔을까
사람도 새도 꽃들도 쉴 수 있는
나무 그늘 너처럼.

냉이

"산들 바람은 살찌는 바람이다
언 땅 비집고 나오는 풀을 보아라
애들이 있어 자라야 곡식도 자란다."

풀까지도 사랑의 언어로 만지시는 어머니
연둣빛 실눈을 뜨고 몸을 부풀리는 들판
그 틈에서 풀과 냉이를 구별 할 수가 없었던
나의 유년

소쿠리 하나 가득 냉이를 캐왔다고
자랑스럽게 쏟아놓는 나에게
어머니는 껄껄 웃기만 하셨다.

뻐꾸기

뻐꾸기 소리 두고 간 자리
이름 없는 무덤가에 외롭게 누웠다
소슬바람에 온 몸을 맡긴 채
그리움 채우는 시간
섧던 세월 더듬으며
아픈 상처 쏟아 놓는 회한의 둥지

마른 가슴
퍼렇게 물들이며
추억으로 가는
내 젖은 유년 시절

가슴앓이 매달고
멀리 워낭 소리
슬픈 울음을 삼킨다.

석모도

갈매기 파닥이며
뱃길 따라 날아오른다

한 웅큼씩 던져지는
도시의 맛에 취해
제가 있어야 할 자리를 놓치고 있다

썰물이 빠져나간 갯벌에는
게들의 숨바꼭질 한창이고
피로에 지친 서산 노을
바다 위에 자리를 깔았다

말린 새우
한마당 펼쳐놓은 노 부부
듬성듬성 빠진 이 드러내며

마주 보고 웃는다
새우등처럼
휘어져 온 삶을 위로 하면서
석모도의 황혼은 눈이 부시다.

고목

말을 하려다
코끝이 달아올라
그의 무릎에 얼굴을 묻는다

머뭇거리다
나뭇가지 부러지는
저 처연함
많은 세월 등에 업고
외길 걸었다

세찬 비바람을 막아냈던
무성한 잎도
주어야 할 열매도
이제는 없지만

땅속 깊이 뻗은

고목의 뿌리에서

넉넉한 침묵

채워가고 있다.

저녁노을

햇살에 젖은 길이
산을 만났다

눈을 반쯤 감고 햇볕을 본다
온통 은빛으로 물들여진
산 그림자 하얗게 출렁이고

산을 오르는 사람들
산색으로 물이 들었다
행복을 물들이고, 기쁨을 물들이고
나의 젊음과 추억도 물이 든다

숨 고르며 잠깐 쉬어가는 산등성
서성이는 저녁노을

세월 속 놓지 못한 슬픔이

가슴을 누르고

붉은빛 산자락에 홀로 눕는다.

새벽이슬

새벽기도 다녀서 돌아오는 길
작은 풀잎에 앉아 햇빛과 만나면
무지개를 남겨놓고 사라지는 한 방울

사라졌다 다음날 새벽이면
어김없이 찾아와 방울방울 맺히는 새벽이슬

물이든 눈물이든 촉촉한 습기만 있으면
한 방울씩 아름다움을 채워가는
투명하고 맑디맑은 보석 한 알.